中国风水第一城阆中古城，位于四川北部，嘉陵江中游。是人祖伏羲的孕育之地，城内有风水馆、张飞庙、贡院、天宫院、华光楼等著名景点。她与丽江古城、平遥古城、凤凰古城齐名。是中国颇具特色的旅游胜地。

阆苑仙境话生肖

摄影 潘明清

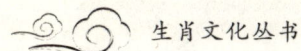 生肖文化丛书

生肖你我她

SHENGXIAO NI WO TA　　张瀚文　罗修德　著

解读你的运程
解读我的团队
解读她的姻缘

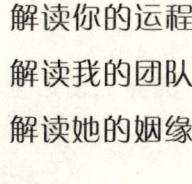

三秦出版社

图书在版编目（CIP）数据

阆苑仙境话生肖/张继军，罗修德著．—西安：三秦出版社，2009.9

（生肖文化丛书）
ISBN 978-7-80736-695-9

Ⅰ.阆... Ⅱ.①张... ②罗... Ⅲ.十二生肖-通俗读物 Ⅳ.K892.21-49

中国版本图书馆CIP数据核字（2009）第168388号

生肖文化丛书
生肖你我她——阆苑仙境话生肖

张继军　罗修德　著

出版发行	三秦出版社
	新华书店经销
社　　址	西安市北大街147号
发行电话	(029) 87205106
垂询电话	(0817) 6225777
邮政编码	710003
印　　刷	蓝田立新印务有限公司
开　　本	720×1000　1/32
印　　张	36
字　　数	66千字
版　　次	2009年12月第2版
	2009年12月第1次印刷
印　　数	7001-12500套
标准书号	ISBN 978-7-80736-695-9
单册定价	6.50元
全套定价	78.00元
网　　址	WWW.sqcbs.com

引 言

盛唐双奇袁天罡、李淳风晚年退隐于被称为人间仙境的四川阆中，常常一起谈风论水推测后世，并遗存有大量的天象和风水方面的书籍，尤以《推背图》久负盛名。这套小书是风水馆张瀚文馆长和罗修德风水大师根据这些遗存，经过多年的研究编写而成的。

阴历是世界上流传最久的历法。黄帝在位61年时，产生了一道十二宫历法的首轮称为甲子，每一甲子为期60年，由5个分期构成，每个分期12年，我们称为五子运。每一年都以一个"动物符"作标记，我们称之为生肖。关于十二生肖源于何时及其排列，有各种传说，至今难以细考。这类故事，或似开心解闷的笑谈，或似贬恶扬善的寓言,文学成分较浓。

古代也有这样的传说,玉皇大帝99岁寿辰时,王母娘娘在阆苑仙境为他举行盛大的宴会,天上人间各路神仙纷纷前来贺寿,最先到来的动物神是老鼠,接着是牛、虎、兔、龙、蛇、马、羊、猴、鸡、狗、猪。玉皇大帝就按这些动物到来的先后顺序分别封以不同的年号,配以不同的时辰,作为对它们的赏赐。从此,"鼠咬天开"后的小老鼠就幸运地坐上了十二生肖的头把交椅,新一轮的五子运也从鼠年开始了。

代表生肖的动物符分别与自然界中的木、火、土、金、水五行相对应。五行又按磁场的正负极分为两极,即中国人所谓的阴和阳。

在阴历中,每天分为12更,每种动物符代表1更,昼始于子夜11时。阴历中的动物符对人的影响也是十分强烈的。属相中的12种动物分为阴阳两类。鼠、虎、龙、马、猴、狗属阳性，牛、兔、蛇、羊、鸡、猪属阴性。

12种动物属相除了其表示年的五行外，还有其固定的五行与季节对应。猪、鼠、牛为冬天，方位北方，季节色为蓝色，五行属水；虎、兔、龙为春天，方位东方，季节色为绿色，五行属木；蛇、马、羊为夏天，方位南方，季节色为红色，五行属火；猴、鸡、狗为秋天，方位西方，季节色为黄色，五行属金。

古代圣贤说，土生万物，因为它是金、木、水、火四行合一的象征，便不能与十二属相中任何动物相对应。有些算命人士指土为本行，从而以牛代水、龙代木、羊代火、狗代金。

在没有现代方法观测气象的时代，中国人便利用了阴历来预测雨雪到来的季节。时至今日，人们仍然相信阴历的真实可靠性。人们会发现，如果某年五行标志为水，那么这一年很可能会发生决堤或洪灾，这取决于阴阳两极哪个的影响力更强些。

你也许会对春季的第一天感兴趣,皇历中谈到,这一天鸡生的蛋能立起来,请你不妨试一试。如果有缘,你会见证的。阴历中春季到来的这一天称为"立春",通常是阳历2月4日或5日。阴历节气是变化无常的,某些阴历年中也许会出现两次立春的情况,而某些阴历年根本不存在立春。中国的占卜者们称无立春之年为"盲年",因为人们"看"不到春季的第一天。因此,在这样的年份里是忌讳娶亲的。

在这本小书中,你会发现、知晓深藏于你内心和他人内心深处的秘密。这样,你不仅会了解自己,而且还会知道你个人与事业的关系,知晓生活中会发生的事情。

同时这本小书能帮助你从另外一个角度观察自己,观察你宜与周围哪些人组成最好的朋友或团队,观察宜与哪个属相的人与你结合的婚姻是幸福美满的。它会使你理解主宰你的"狗"为什么会偶尔让你表现出急躁，属马的人易变、不安静特点的由来，以及为什么属龙的朋友会盛气凌人、花钱讲排场，还有蛇年出生的人为什么会有多疑的性格。你也许会吃惊地发现，有些工匠善于修理各种各样的东西，是因为他们出生于使他们聪明智慧的猴年。另外你还会看到那些动作迟缓、自信甚至保守的银行家们多是出生在充满自信的牛年。

也许这本书能让你进入理解命运和造化的神秘之门，甚至可以帮你作出重大决定。人生路上你会倾听蛇的机敏语言、寻求羊的温柔与同情心、获得猴的聪明智慧、共享马的快乐、欣赏兔的善交能力、用狗的忠诚交朋友、依靠虎的热情点燃生命之火、以鼠的勇于进取去完成伟业……

愿《生肖你我她》成为你为人处世的指南、美满婚姻的处方、幸福生活的源泉。

生肖\五子運	鼠	牛	虎	兔	龍	蛇	馬	羊	猴	雞	狗	豬
水運	甲子	乙丑	丙寅	丁卯	戊辰	己巳	庚午	辛未	壬申	癸酉	甲戌	乙亥
火運	丙子	丁丑	戊寅	己卯	庚辰	辛巳	壬午	癸未	甲申	乙酉	丙戌	丁亥
木運	戊子	己丑	庚寅	辛卯	壬辰	癸巳	甲午	乙未	丙申	丁酉	戊戌	己亥
金運	庚子	辛丑	壬寅	癸卯	甲辰	乙巳	丙午	丁未	戊申	己酉	庚戌	辛亥
土運	壬子	癸丑	甲寅	乙卯	丙辰	丁巳	戊午	己未	庚申	辛酉	壬戌	癸亥

春　夏　秋　冬

目 录

戌　狗 …………………………………… 1

狗　年 …………………………………… 3

属狗人的性格 …………………………… 5

属狗的儿童 ……………………………… 11

属狗人的起名 …………………………… 14

属狗人的五种类型 ……………………… 16

属狗人与时辰的对应关系 ……………… 22

属狗人在其他生肖年中的运程 ………… 35

属狗人生月趣解 ………………………… 48

属狗人生日趣解 ………………………… 52

属狗人的姻缘 …………………………… 59

吉祥四季　平安一生 …………………… 84

阆中风水博物馆 ………………………… 86

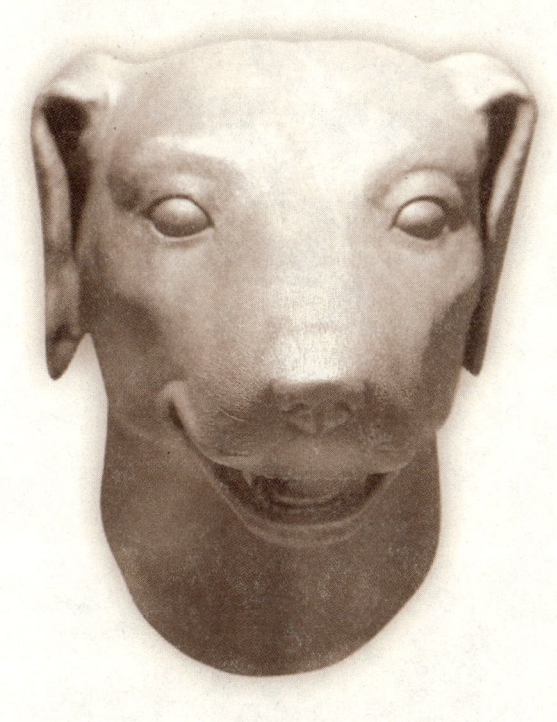

戌 狗

(圆明园十二生肖铜兽首)

我是正义的保护者
为你悲痛鸣不平
平等是我真诚的信仰
威武是我气质的特征
怯懦遮不住我的灵魂
生命若无忠诚
生活兴定空空
我是——狗

狗年

狗年是一个既会给人们带来欢乐，又会使人各执己见、自相矛盾的一年。"狗"的看家意识会给家庭带来温馨，会增强人们对国家的责任感，在从事的职业过程中更增强了信心。

"狗"的刚毅性格和不屈不挠的精神，会使人们增强向阴暗面展开抗争的勇气。这一年的争论观点很多，人们支持这种争论气氛，并在实践中确立那些有效的观点并以此指导社会的发展。这一年的自由平等意识能更加得到维护。

这一年人们更注重精神世界的发展，善施行为代替了对物质利益的欲求与竞争。人们不再以金钱万能的观念为指引，而是注重以精神价值作为价值标准的取向，不断提高道德观念。这一年也是人们坚持变革、反对强权的一年。

狗年的安定，带给人们沉稳的特点，使这一年保持和平景象。但若遇到五行为"金"的狗年，就会有战争或灾害发生。

狗年可能会使人们陷入争吵之中，出现相互诋毁和反叛行为。但最终又会将所有事情引向光明的结局。"狗"的无私会使人们的品格比以往更加高尚。

这一年对人们是个休养生息的一年。受到"狗"的沉稳、坚定的意志所控制，人们在这一年不会产生忧虑。另外，"狗"的忠于职守的特点也会发生很大力量，保持这一年的平静安宁。即使人们对某些事有点担心，也不必紧张。"狗"有将事物引向完善的意识，会给人们得到事业发展的保护。

狗年将使我们所从事的各项活动有完满结局，只要人们沿着正确的生活道路迈进，就没有大的阻碍影响我们。

属狗人的性格

属狗人与十二属相中大部分人有共同点。他们直率、诚实、为人仗义、对事公平、勤奋好学。属狗人的活跃特点引人注目，受到异性的好感。

属狗人一般为人坦诚、不装腔作势、好打不平、愿意听人向自己陈述苦恼之事，以分担他人的不快。因此，他们懂得怎样与人和睦相处。

如果你有一个性格直率的属狗朋友，你可能就有这样的感受：当你遇到麻烦的时候，拨通他家的电话，也许他有抱怨，或推托你的请求，但若他知道了你的确需要他，他会毫不犹豫地前来相助。有时，属狗的人保护他人利益比保护自己的利益更上心，假如有人以百偿十，他肯定是属狗的人。

无论属狗人是否诚实,他们都有这个特点:在内心里将人们按他们的观点划分两级,而且是两面划分,你对他们来说,或者是朋友,或者是对手,他们不相信中庸。他们同你接触,一定要弄清你是哪类人。

出生狗年的人不大注重钱财,但他们需要钱财时,没人像他们那样具有找钱财的能力。在大多数情况下,属狗人都出生在较好的家庭中,否则,他们会脱离家庭,靠自我奋斗来提高自己的生活地位。

属狗人在与人争吵时,方式总是公开的,而从不在暗处做动作获得胜利。他们能胜任军事工作,能成为优秀的教师、律师、法官、医生或运输业的领导人,还会以和平主义观点支持和展开社会活动。

属狗的妇女是思维能力强的女性。她们穿着朴素,但喜欢漂亮、松软的发式,使她们富于表情的面庞更为生动。她们生气时会表现得坐卧不安,但大部分情况下她们体贴、关心他人，喜欢与人合作、主持公道；她们喜欢舞蹈、游泳、网球等室外活动。她是丈夫、儿女的好朋友，能听任他们充分地陈述自己的观点，对他们的去向不加阻拦。

属狗的姑娘对人热情，相貌漂亮。

属狗的女人待人和蔼，愿意慢慢地加深同人们的友谊。你在与他们接触时，可以拜访她们的家，同她们一道品茶聊天，再请她们到你家品尝你自制的小蛋糕，在日常交往中加深了解，在志趣相投中坦诚相待成为朋友。只有以此方法取得属狗的妇女的友谊和信赖，你才会成为她们的知心朋友。一旦你遇到困难，只要告知她们，就会获得她们全力以赴的帮助。

属狗人往往能清楚地看到自己处在高于别人位置上的危险，因此他们不大愿意出人头地。他们将自己的抱负埋在内心，默默地从事自己喜爱的工作。只要是责任范围之内，他们仍愿帮助他人工作。感情生活中不像马、虎的人那样可以疯狂地陷入爱情之中，他们默默依

偎着所爱的人，给他们以极大的关怀。

出生于狗年的人，具有约束自己的能力，他们也会成为顾问、牧师、心理学家。在发生危机的日子里，他会坚韧地忍受着困苦而决不怨天尤人。世界上许多圣贤与智者都出生在这充满理想的狗年。

出生于夜间的属狗人比出生在白天的属狗人爱挑衅，多与别人发生冲突，狗年任何一个季节出生的人都会生活顺利，一生中不会缺少生活必需品。

他们最不能理解的是属鸡人的性格，但冲突最大的、最不信任的是属龙的人。

属狗的儿童

属狗的儿童生性快乐、活泼，与其他孩子能和平相处，对别的孩子没什么更多要求。他们尊敬家长和其他长辈。他们自信心强，决不允许别人欺侮他们，如果受到欺负，他们会奋勇还击，争取平等地位。而你要诚心地与他们交谈，他们无暇的心灵容易接受你的观点。

属狗的孩子聪明、敏锐，他们可以不费多大力气就做完作业。他们爱讲道理，喜欢帮助比他们更小的孩子。

他们总要在某种程度上争得自己的独立权，做事让人放心，从不会离家太远。人们喜欢他们的幽默和热情，更喜欢公正、坦率的处事方式。当他们被逼急的时候，会奋起反抗，变得尖刻，但怒气来得快，消得也快。他们不会记恨人，从不积怨。

当他们处在消极状态时，表现出爱争吵、对人苛刻、固执偏见的态度，但一般来说，他们很随和。所以，与他们相处切莫使其感到无回旋余地，否则他们会暴怒，令你无法收拾。

如果属狗的孩子得不到赞赏或遭到冷遇后，他们会表现出冷淡的、玩世不恭的态度，对父母的要求采取抵触方式。如果经常表扬他们，鼓励他们，会使他们把事做得更好，属狗的儿童基本上是与人和谐的，因而不必哄骗或吓唬他们。

我们甚至可以在他们很年轻时就放心地交给他们一些工作，或者保密性工作，这些信心很强的孩子会努力去做，他们会庄重地对待自己的秘密工作。

属狗的儿童总是细心保护自己所有的东西，家庭对他们来说永远是摆在第一位的。

取名宜有"鱼""豆""米"字,食禄美满,闲享福,名利永在;有"人""宀""马"字,安祥快乐,温和鼎盛;有"金""玉""艹""田""木""禾""月"字,清明公正,克己助人,智勇双全;有"氵"字,贵人明现、乐天;有"亻"字,操守廉正,义利分明;有"火"字,性刚果断;有"石""系""山""日"字,不利家庭,晚婚或迟得子,大吉;有"酉""车""刀""父""言"字,多不顺,不利健康或忌车怕水。

属狗的人的五种类型

金狗——1910年 1970年 2030年

这年出生的人具有不可动摇的信念,甚至要根据自己的见解去评判法律条文中的细节。他们如果找到一种称心的工作和事业,会为此付出自己的全部力量,表现得高尚而慈悲。但他们如果被激怒,则变得冷酷无情,定将敌手打得一败涂地方可罢休。

五行中的"金",表示不可战胜,被人称为"铁狗"。这一年令人担心,因为"铁狗"年也许非常吉利,也许非常不利,这取决于当年趋势是向上还是衰落。

举止严谨、严于律己的属狗人在这一年更严格地要求自己,认真对待各种事情,特别能以自己的力量去完成自己的事业和对国家有利的工作。

他们有很强烈的政治观点,判断果断,绝不优柔寡断,总是有选择地站在某一方,去完成一个党派成员的使命。他们厌恶耍手腕,常亮明自己的观点,坚持征得别人的赞同。

水狗——1922年 1982年 2042年

这年出生的属狗人属于直观型。他们不轻易上当。如果是女性，一定是非常有魅力的妇女。

五行"水"影响着他们的特点，能听取别人不同的意见，但在某些庄重的场合，显得有些随便。

他们比其他属狗人更容易接近，他们对人对己要求都不大严格，易陶醉于自满的状态之中。但毕竟是属相为狗者，所以一般情况下能够控制自己的情绪。

他们广交朋友的性情，使他们易于成为一名训练有素的辅导员、公正的法官、按法律和制度办事的工作人员。他们说话严谨，很难被人驳倒。他们运气不错，周围总有一些朋友同事喜欢与他们一道工作。

木狗——1934年 1994年 2054年

出生这年的属狗人有一副热心肠,有迷人的魅力。他们对陌生人既谨慎又坦率,所以他们与人保持友谊关系是长久的、牢固的。他们为人忠厚、善于思考,寻求高层次的文化修养,被人们所喜爱。

五行"木"使他们拥有严谨的作风和慷慨大度的胸怀。他们在追求事业的发展过程中,当然也为金钱和成就所吸引,但他们注意不使自己陷入物质利益的圈子中去,而追求美感,追求精神价值。他们有同各界人士交往的能力,在与不同人交往时,能做到与其他人寻找共同的语言,又能够文雅自若。

他们举止有风度、精力充沛,喜欢依附于势力强大的阵营,还有些过分自信。

他们喜欢在良好的工作中起组织作用,渴望身旁有许多与他们合作的人。当未通过团体大多数成员的同意或未经允许,他们是不会轻易承担工作的。他们应该加强个人的独立性,尽管那样做也许不太保险。

火狗——1946年 2006年 2066年

这年出生的人喜欢表现，愿意引人注目，待人和蔼又有诱惑力，很得异性青睐。对于不愿做的事，他们不会在乎压力去屈从。虽然他们在公众场合引人注目，但还是十分注意自己说话的分寸，不会为任何意外而昏昏然。五行"火"使他们攻击他人时异常凶猛，常常不宣而战，言辞尖刻、激烈。

他们思想活泼、自信心强、很能说服别人接受自己的观点。独立精神与勇气支持着他们投入竞争，他们很容易为新的事业和冒险尝试所激动。他们渴求一个好榜样引导自己，愿意从更年长者那里吸取经验，以保证自己的事业、生活平稳发展。

"火"还坚定了他们的意志，纯洁了他们的意念，使他们性格外向，有力量，富于理想精神，能在努力的工作中获得成功。

土狗——1958年 2018年 2078年

　　这年出生的属狗人多是思考者，最能提出公正无私的建设性意见，虽然举止缓慢，但做事目的性明确。他们服从于整体，对自己的信仰忠心耿耿。他们很少违背自己心中的价值天秤去行事，花钱都是十分谨慎地花在最该用的地方。他们说话不多，却知道如何鼓励别人。他们心地善良道德水准高，信任自己不会失败。但他们容易做过激的事情，要求别人对他们绝对地忠诚。

　　他们是竞争中的强者，常能挽救事情的败局。他们勇于实践，理想性强，很少多愁善感。他们说话发自内心，很少保留。不滥用自己的权力，既不受压，也不会在获胜后压制别人。

属狗人与时辰的对应关系

子时出生(鼠时辰)
——午夜11时至凌晨1时

此时出生的属狗人喜欢钱财,
尽管他们当中的人也注重精神价值,
但仍是紧紧把握住自己的钱财,
不轻易施舍。

丑时出生（牛时辰）
——凌晨1时至3时

此时出生的人虽粗鲁，
但诚实。
他们在荣誉面前无可挑剔，
但非常保守，
甚至执拗。
他们是信念的坚定维护者。

寅时出生（虎时辰）
——凌晨3时至5时

狗与虎都代表着不倦的活力，

两者相遇则会使人好动，

遇事急躁，

抨击他人时更加激烈，

但对人极有热情。

卯时出生（兔时辰）

——早晨 5 时至 7 时

此时出生的人举止适度，
善于调解矛盾，
做事力图避免发生争吵。

辰时出生（龙时辰）
——早晨7时至9时

出生此时的人多为理想主义者，
他们最适于从事宗教事业，
能当个很好的传教士，
也能做一个不一般的工人。

巳时出生（蛇时辰）
——上午9时至11时

此时出生的人少言寡语、
喜欢沉思、内向、性情高傲、竞争意识强。
蛇会使他们正义感有所减弱，
容易利用他人，
靠手段达到目的。

午时出生（马时辰）
——上午11时至下午1时

他们思维敏捷，

行动迅速，

会成为所有人的好朋友。

有些人则见风使舵。

他们给人的印象是永远无忧无虑。

未时出生（羊时辰）
——下午1时至3时

此时出生的人心肠软，
多愁善感，
富有同情心，
可以成为艺术家。
他们正直，
肯定别人，
对他人缺点采取不过问态度。

申时出生（猴时辰）

——下午3时至5时

这个时辰出生的人聪明、

伶俐、

活泼、

引人注目，

做事机敏。

酉时出生（鸡时辰）

——下午5时至7时

此时出生的人喜欢说教，

空话多，

实践少，

他们喜欢说，

不抓紧行动。

因此，

他们实现自己的目标总是需要很长时间。

戌时出生（狗时辰）
——晚7时至9时

这个时辰出生的人非常严肃，
极其维护自己的利益。
他们喜欢选择那些争斗性强的事业，
有改革精神。

亥时出生（猪时辰）
——晚 9 时至 11 时

此时出生的人耿直、

易激动。

对别人要求严格而对自己则较宽容。

属狗人在其他生肖年中的运程

鼠 年

这一年对属狗人是非常吉利的一年。
他们在这一年中能获得生意上的成功，
还从其他投资项目中得到额外收入。
他们这一年里身体健康，
但是会遇到一些家庭问题，
他们的孩子会出现一些麻烦。
这一年不要向外借钱。

牛　年

这是难以预料的一年。

他们会遇到一些困难，

朋友会因事业中的误会而与他们产生隔阂，

他们的好心也会被曲解。

应在这一年避免与人竞争。

这一年里既要耗费精力，

又要损失些钱财。

虎 年

这是一个发展平缓、

令人愉快的年头。

家庭和工作中都不会出现大问题,

这一年里虽有争吵,

但无碍大局不会造成大的损失。

这一年的生活有苦有乐,

特别是朋友和家人会因一些事占去大量时间。

兔　年

这一年有利于属狗人施展抱负，

他们可以大显身手，

提高自己的地位，

创造成功的机会。

这一年遇到困难会较顺利地克服。

龙 年

龙年对属狗人极为不利,
需付很大力气还不得不与他人争斗。
人们会对他的弱点进行攻击,
可能会染疾病。
这一年应俯首屈就,
或者依附于强大势力去谋生,
不可独立开展自己的事务,
境况会在这年冬季发生好转。

蛇　年

这一年是属狗人大吉大利的一年。

在这年中只要努力工作,

就会有大收益。

在股票投资和其他生意上都会走红运,

并能得到有权势者的资助。

这是一个做事容易、

家庭美满的一年。

马 年

对属狗人来说，

这是一个巩固和发展成绩的年头，

事业兴旺、财源茂盛，

是幸运顶峰的一年。

这一年家中会有些小摩擦，

或损失些小物件。

这年益于参加多种娱乐活动和长途旅行。

羊　年

一个平缓发展的年头。
这一年，
会因一些问题而焦虑不安，
但只要闭嘴巴，
不发脾气，
则可以防止钱财流失。
总之，
这是一个需要耐性、采取保守态度的年头。

猴 年

是属狗人一般的年头。

猴的聪明、伶俐、

机敏的特征给属狗人带来更多的灵活性

去妥善处理问题及事物,

不过,

猴的狡猾也会影响属狗人缺乏宏远目光,

注重小益小利,

很难完成大事业。

鸡　年

鸡年对属狗人不利。
这一年他们健康不佳，
朋友们不愿帮助他们，
在这一年收不回应有的钱财，
不但不会推进他们的信任，
而且还会有地位下降的趋势。

狗　年

对属狗人来说，
　这是增长才干的年头。
这一年不会出现健康问题，
也没有其他方面的大波动。
可以利用这一年增长知识，
　花时间多学习，加深修养，
　　重新赢得别人的信任，
将会在事业上、生活上取得进展。

猪　年

这一年是平静的年头,
属狗人通过自我反省后,
会得到意想不到的收获,
还会收入一些额外的钱财。
这一年有利于他们和朋友重归于好,
而且结果会像期待的那样令人满意。

属狗人生月趣解

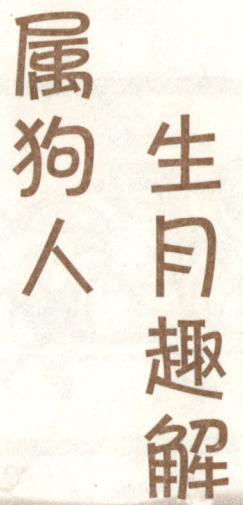

生于正月

食禄好，人缘也好，但性情有点急躁，容易得罪朋友，容易被人误解；对爱情不专一。

生于二月

性情欠佳，勇敢胆大，具有胆大心野的性格，所以共事特别不轻易相信别人。本来成就应该是很好的，只是未能当机立断，以致坐失良机。有朋友之助力，对事情有深入体验，是理想的幕后英雄。

生于三月

清秀聪敏，性情有点冲动，缺乏耐力，颇有急功近利的想法；交际甚有手段，保存对异性的吸引，仪表非凡。喜欢外出旅游，知识丰富，夫妻很和谐。

生于四月

比较富贵，一生很少遇险恶风浪，做事很有头脑，为人脚踏实地，不肯冒险投机，股票、黄金市场的天翻地覆几乎与他无关。为人友爱，肯助人，慷慨为怀，事业循序发展，家庭美满，晚年尤佳。

生于五月

个性坦白豪爽,工作能力颇强,而且甚为积极。与人合作不计较利害关系,且忠诚到底,但不是领导之才。对异性要求很高,这类人大多是迟婚的人。

生于六月

对家的缘分较薄,每因小事,便与家人吵吵闹闹很不愉快,可是在外又十分有缘分,对朋友肯帮助,事业可能早日成功,夫妻情薄。

生于七月

晚岁方有收获,个性乐观,平易近人,喜欢游览名山大川,不安于做事,浪迹天涯到晚年疲倦才知还,退隐林园,悠闲生活。

生于八月

天赋聪明,学问与修养俱佳,交谈甚得别人的好感,有说服力,可当大任,是领导者的人才,事业上有成就。治家严谨,教子有方。晚年幸福愉快,夫妻和睦。

生于九月

一生有刚毅的性格,果敢的精神,具备以

牺牲自我而成全别人的美德，并有行侠仗义的表现，很有风度，是朋友崇敬的偶像。自奉其俭，也时常受穷，终是有福之命。

生于十月

品性纯良，忠心耿耿，对朋友很重义气，从不失信于人，对社会的福利工作不遗余力，交友满天下，运气良好，当可一鸣惊人；前途时险，也时常受穷，长寿命。

生于十一月

爱劳动，身体力行，不会浪费一丝一毫，但对人毫不吝啬，爱心较重。稍不如意的事表现的尤为紧张、异常。家庭观念很强，夫妇关系如胶似漆。

生于十二月

情感十分丰富，身体力行，对异性容易发生兴趣，应加强自我调控，以免自作自受，使精神大受困扰。幸而一生福运很好，养尊处优，不愁衣食，家运平平，子女孝顺。

属狗人生日趣解

生于初一

沉浮不定，尤如水上之舟。婚姻不定，是因恋爱多烦恼。灾难常有，凡事欠顺，一生困难，犹如逆水行舟，不进则退。应加强道德修养，强化自我的毅力，要学会做生活的强者。

生于初二

祖荫淡薄，父母无力。家庭爱起纠纷，烦事很多，偶有失败，幸有女人化解，贵人多为女性，太多却为灾。

生于初三

心肠软，为人善良，但好心为人反遭误解，招人背后漫骂。一生多犯小人，晦气当头，最好少与人交往，事事少为妙。

生于初四

桃花命，与异性多起纠纷，易招口舌破财，男女爱有外遇，风流成性，一生清淡。喝酒不醉，贪色不乱，英雄豪杰本性。

生于初五

吉运女占男不占，文理艺术努力进取，职高名显。女人一生一个丈夫，幸福一生之命，但要妥善把握事物的度，物极必反。

生于初六

家有财，祖荫不薄。有时破财，事业权力顺心，一生为人上人，但创业难，守业更难，要靠自己能力。

生于初七

命带孤独、有妻不贤、求官无望。但经商大有发展，财利不薄，一生衣食无忧。事有生成造化，须巧用机会，心高如塔。

生于初八

难有守家，终年东奔西走，离井背乡，偶有贵人相助，一生不至困苦，落难他乡。好男儿志在四方，四海为家，何虑也。

生于初九

聪明尊贵，技艺超群，文章盖世，凡事顺利，专心致志。虽说事事如意，但老景有头晕目眩之疾，要注意身体。

生于初十

命带官星，多才多能，晋职晋级，美名远播。事业顺心，有明显成就感，一生大富大贵。但事情要想到下步，防止事业从顶峰滑到谷底。

生于十一

命中注定不能发财,时有麻烦破财,经营谋利亲属无靠。发财不如修德,要保重身体,健康最重要。

生于十二

男女命占吉运。男士为人豪爽,性格直、心肠好,颇得朋友好感,视财如土,花钱大方,时有不济,幸有好友相助;女士漂亮贤惠,持家有方。夫妻恩爱一生。

生于十三

女命胜男命,能言善辩,才华出众,名利双收。女有旺夫,男借女运,子女双全,有福之人。

生于十四

身体健康,性情温和,重礼讲信,命带有职有权,终生名利富有,如此日逢丑,难免有家庭纠纷,遇子女、贵人化解。

生于十五

爱虚荣、贪花酒,为人慷慨好施,但命带家庭不和,有妻不贤,一生苦乐参半,有沉有浮。好心反遭人骂,冤哉。

生于十六

性格暴躁、胆大，做事不善思考，肆无忌惮，一生喜忧参半，沉浮不稳。男女一样风流，只为命中桃花注定。

生于十七

不很吉祥，命带驿马，一生四海为家，一生苦多乐少，若老守田园，恐憾终生，只有他乡能立业。

生于十八

命带官相，一生权力、职业至上，为国为民，功劳卓著。时常被人迫害，忠臣难尽善终，自酌。

生于十九

天命福相，女比男强，聪明伶俐，人才出众，不是久居人下之人，事业有成，名声远播，一生富有，只遇流年不利，会有时来运转。

生于二十

天命福相，多子多孙，有福寿高，家业兴隆，有财有势，名利双收，一生富贵之命。

生于二十一

男女皆犯桃花，喜新厌旧，婚姻多起感情

纠风，一生命苦。此命如遇大吉时有转机。
生于二十二
男女小吉，女一生易嫁多起，珠泪涟涟，有子不孝，一生命实在苦。此命如遇流年大吉，大有转机。
生于二十三
有财有德，谋职可居，谋财可发，一生偶有小灾，不惊不险。有福有缘，年寿高。
生于二十四
贪酒好色，喜游于花街柳巷，逗留在舞厅酒吧，玩性四方，见色欲滴、做鬼风流，终老破碎。
生于二十五
男有娶贤妻之数，得助非浅，经营有道，事业发达。女喜乐善好施，人缘极佳，巧料家庭，助夫益子。晚年均有无忧之命。
生于二十六
苦乐皆有，财源茂盛，一生富有，但其局要有流年大辅佐。
生于二十七
命带少福，一生劳苦，大钱难收，小钱不断，衣食足用，有好妻持家，小康人家。此日

出生之人要靠贤妻才能转机。

生于二十八

最为不吉，一生命带官灾，难守本分，高墙深院，时进时出，如能改邪归正，晚景转。

生于二十九

福星临命，名利双收，一生大吉。但偶有是非口舌发生，说话要看人品。

生于三十

男女皆吉，男士聪明多才，女士貌美伶俐。婚姻如意，富贵平生，一世无灾无难，即使流年不利，自有紫微星高照。

属狗人的姻缘

　　古人认为，寰形相克图（下图）两端直接对应的属相是排斥的。

天　　　　　　　　　　地

和　　　　　　　　　　谐

狗+鼠

若他们有共同的兴趣和爱好,此番结合将会平稳发展。他们都明事理、待人友好、开朗,相互之间极少摩擦,婚姻的前景是美满的。妻子更热情、勤劳,而丈夫则懒散并老于事故,为避免在不必要的问题上发生争论,他们都试图留给对方起码的活动场地和空间,保证其在家中有言论和行动的自由。

狗+牛

两人都忠诚老实，严肃对待他们的婚姻，并富有责任感，他们的问题主要是妻子的压抑状态和固执的脾气。丈夫喜欢无约束地发表自己的见解，而这对于地位平等、无幽默感、气量狭小的妻子就显得冗长、乏味。此外，妻子常对丈夫的过于直率的说话方式不能接受以至怨恨，而且不能长时间忍让，他们都尽量避免琐事引起的不快，但有时也会由于内疚而自责，他们的关系需要建立在诸多理解和妥协的基础上。

狗+虎

这对配偶是天生的理想主义者,又都乐善好施。丈夫比起生机勃勃且性情刚烈的妻子显得更坦诚、憨厚。当她情绪过于冲动时,他常能给予安慰和劝说。巧妙运用外交手腕,入情入理地说服她,而不触及其内心的敏感部位。而妻子充满女性色彩的爱及忠诚正是丈夫所喜爱的,她的乐天秉性能活跃她周围的一切。他们各自都享受到安逸和恬静。这是一个美满、恰当的结合,能为双方慷慨、谦逊的美德增辉。

狗+兔

能组成一个和谐、快乐的家庭。妻子富于幻想、妩媚、善于交际，丈夫豁达、爽快。他们以诚相见，都能在日常生活及应酬中获得乐趣。他们都喜欢有目的的活动，有天生的合作精神，并公开的允许对方有一定程度的独立性。妻子对生活的舒适有近于奢侈的欲望，而丈夫并不追求物欲，晓事明理，他们可以充分展现自己的个性而互不排斥，这样的婚姻真是天衣无缝。

狗+龙

各自都令对方捉摸不透,他们的爱情是建立在贬低对方基础上的,他们都想方设法压制对方。当男方愿意和解时,但又不满于妻子的蛮横无理。而女方发现,如果逼迫过头,他会沉默不语,更加怪僻,一旦闹到有损名誉的地步,他便会露出好斗、尖酸刻薄的本性。他们各自都不能顺利地依从对方的想法,这样的婚姻,充其量不过是个爱和恨的结合罢了。

狗+蛇

丈夫头脑冷静、思想开放,但仍为妻子的巧言所迷惑。她十分敬慕他才气过人,但她更神往锦衣玉食的生活,这一点超出了丈夫的忍让度,他们缺乏相互间的了解,甚至完全摸不透对方的心思,但假如他们中的任何一个能够理解对方,他们仍能和谐地生活。

狗+马

尽管他们之间缺乏全面的理解,但仍不失为一个幸福的、富于生机的家庭。丈夫可敬、有理性,在能干的内当家地协助下,能把工作搞得极为出色。他佩服妻子对知识的渴求,而她也认为丈夫公正、重实际,可以依赖和依靠,双方都能得到他们希求的合作,并能享受各自所需要的独立性。

狗+羊

　　他们可能在兴趣上存在着或强或弱的抵触和冲突，故此种结合，恐怕比起他们单身度日要多一些麻烦。她的多愁善感和难以满足的欲望常激怒丈夫，使善于逻辑思维的丈夫以粗鲁和计较代替了同情和谅解。她得理时，也可变得开朗和无私，但在这种情况下，常由于丈夫的暴躁、不通情理，使她退缩和沮丧。总之，他们之间个性差异过大，难以完全协调。

狗+猴

如果两人都宽宏大量，不计较对方的弱点、瑕疵，他们的结合可行并十分有把握。妻子比别人更了解聪明的价值，赞赏丈夫那种孜孜以求的钻研精神及严谨的思维方式。他佩服她能干、有上进心，并欣赏她机敏、幽默和逗人喜爱的天性。两个人里，妻子显得更唯物，注重金钱财富，而丈夫则更重名誉。走中间道路，将能满足他们共同愿望。

狗+鸡

他们的夫妻关系,必将经历从冷淡到缓和最后达到和平共处的过程。双方都有辨别是非的能力,且直率,但较挑剔,常对对方的毛病表示不满。正常情况下,他们都力求达成一致协议。但他们常显示出好斗的性格,造成更固执、互不妥协。当双方之间出现异议时,因脾气火暴而以牙还牙、互不饶人,最后发展到凶猛的争斗。丈夫生性苛刻、玩世不恭,难以保持头脑清醒。妻子德行正派、踏实,但由于太严厉往往使丈夫接受不了。她一心研究改变他,使他脱胎换骨,但他尤其对这一点不能忍受。

狗+狗

　　他们具有坚强的性格,且通情达理,可和睦共存。虽然狗太太心直口快,有时近于苛刻,但仍不失温和。这是一对理想的、诚心诚意的伴侣,尊重彼此的意见,力求互相理解。丈夫全力维持他们的婚姻关系,当他们的关系需要调和时,他能处理得尽善尽美。如果他们能相互取补、彼此尊重,这样的婚姻不会有什么大问题,他们总是共同做出决定,而且在事先做了周密的考虑。

狗+猪

他们的性格差异相当大,但仍能维持一种平等的关系。丈夫可靠,能为妻子分担一切,值得依赖。妻子温柔,当她表示爱时,对他充满柔情,使他们有共同的满足感。他们都不情愿让步,但仍会分担和共享他们的一切。他们的结合将是幸福的,因为双方都无需对对方的弱点唠叨不休。

鼠+狗

他们喜欢安宁,人格独立。他精力充沛、工作勤奋、富有魅力,令人感到亲切。她忠实而机灵,热情而又善感。这种婚配存在危险,那就是如果两人都一味向对方让步的话,双方将都会感到索然无味。感到关系过于冷漠,而使这种关系中断。

牛+狗

他追求财富和声誉，讨厌依赖他人。她大方、谦逊，是个忠实的妻子。但是他对于亲切的、爱说话的她的态度可能过于专制，当他冷酷地将她推开时，她将难以容忍，会直言不讳地对他发怒。她发现他太死板、太冷漠无情，不和她的口味，而他也受不了她那过分的好奇心和嘲讽式的口吻，如果不是这样的话他们还是能合得来的。

虎+狗

理想的伴侣。两人都富有魅力,能吸引对方,具有慈爱的气质。他热忱、活跃,容易冲动,性格急躁;而她忠诚可靠、善解人意、热心助人,头脑清醒,有条有理,能制止他的任性。他喜爱并尊重她的踏实和良好的判断力,她则不强求他只钟爱她一人。两人都温和,注意对方的需要,却不侵犯对方的隐私。一对令双方都非常满意的伴侣。

兔+狗

　　互益而一致的伴侣。他们对另一方提出的要求都是合乎情理的,并且都能使对方的感情得到满足。她对他忠实而挚爱,在他不赞同自己或心情不好时也仍然如此。她喜欢他的温和。他则指望得到她的支持和她对事物的合乎逻辑的判断。在两人中,她更坚韧,在他感到沮丧时,她会鼓励他,为他打气。而他善于思考而敏感,他能了解究竟是什么事使她烦恼。

龙+狗

由于性格相差太远,将产生许多矛盾。他们都是敢作敢为、坚强有力的人,但有不同的表现方式。他热爱自由,行为独立不羁,而她希望他能合作和忠实。他们都下意识地想从对方那里获得自己所缺乏的品质,但在如何做的问题上又缺乏基本的理解。他们都骄傲、任性,常常互相挑战,谁也不愿轻易认输,谁都怕丢脸。如果两人结合,双方都要做很多努力来改变自己性格。

蛇+狗

他的权力欲极强，行动时冷静、深思熟虑。她是温柔、忠诚而美丽的。他们会互相赞美。但她有自己的原则，只有在这个原则之内她才会给予他支持。他为达到目的是不择手段的。他们都很自信，但若发现他行为不够正直时同样会反感或抵触，在和解之后他会酬谢她，但又不明白她内心何以这样敏感。她不是重实利的人，不能理解他对财富和权力的强烈迷恋。不同的生活态度会阻碍他们关系的进一步密切。

马+狗

这是能够持久合作的一对。他们都是朝气蓬勃、感情外露的人,他们的结合能使双方都找到真正乐趣。她忠诚正直、真挚,能容忍他的动摇和不定。他的智力和高雅而富有洞察力的个性都给予她深刻的印象。他爱她的幽默、清醒及富于条理性。她对他的短处能够理解和接受,他也不会为她那轻率无礼、遵从旧俗的举止而生气。

羊+狗

这种关系是不很协调的,因为狗夫人太实际,不知不觉地总要批评羊丈夫的散漫,数落他的弱点,这使他更加悲观。她讲道理、很温情,但不是总愿用些必要的小谎话来安抚他的肝火。他需要很多同情和支持来促进他积极的方面。他严肃、冷漠,会被她的抱怨和自我欣赏激怒。两人不太相投,因为各自激发的是对方的消极之处。

猴+狗

是很好的婚姻,两个成员间彼此给予好评。他聪明、会交际。他比她更实际,更有雄心,见她不打算赶上和超过他的成绩他就很高兴。他发觉她是个有力的、谦和可取的盟友和顾问。当他表现出真心希望合作时,她会很协助、配合。她爱他的才智,为他的多面性格着迷,但对他的嫉妒、不动声色的特点抱悲观看法;他会觉得她公正、向上的作风有时有些拘谨。除此之外,两人都足够明智,能作出必要的让步。

鸡+狗

毫无疑问,这对配偶都有清醒的头脑、很高的自我估价,并常为此而骄傲。然而,尽管他们都很自信、沉着,也都直言不讳、心地坦诚,但假如丈夫开始对妻子的弱点不断挑剔、唠叨不休、诉说不平,她通常不会以和颜悦色来协调气氛,而是以自己辛辣的言辞反击。这对夫妻言语刻薄,善揭对方的"伤疤"。如果他们中某一个人能心底无私,明智地引导对方放下武器,便可形成一种融洽、和谐的关系。

猪+狗

尽管他们对待生活有不同的看法,他们的关系仍然是友善和愉快的。丈夫彪悍、开朗、诚实,做事喜欢彻底,不半途而废。妻子则有闯劲、好斗心强。如果丈夫过分放纵,在工作中疏忽大意,将会受到妻子不留情面的指责。他易动感情,缺乏理智,并有良好的胃口和无节制的情欲。尽管妻子比丈夫有更敏锐的洞察力,但她完全信赖他。同样,宽宏大量的丈夫,常常忘记妻子那尖刻辛辣的个性,而把她看作可信任、高贵的同盟者。

吉祥四季　平安一生

春　夏　秋　冬